흘림체 ②

갈꽃 전숙희 쓴

한글서예

✿ ㈜이화문화출판사

차 례

□ 흘림체 시조

□ 흘림체 갈꽃시조

□ 진흙림체 갈꽃시조

□ 흘림체 시조

가벼운 가을 바람에 나뭇가지는 고스며

는 꽃잎이 날개냐 날개가 꽃잎이냐아

마다 너의 혼은 호접인가 하노라

한용운의 고요조소 같꽃 쩐수희

1

꽃은 식일 장어서는 속에 피는고 야창

밝에서린 향기 같빛에 글어들어 맑고

도갈끔한 넋이 밤안가득 번지네

이희승의 시조 갈꽃 정숙희

길가에 수양버들 오늘따라 흐르고

강물에 넘친 햇빛 글결따라 반짝이네

일러러 가옵는 길에 봄빛 어윽 짙어라

되천득의 사랑 갈곶 첫숙희

3

낙동강 빈나루에 길빛이 흐릅니다 무

엔지 그리운 밤지 향없이 가고 퍼 희

르는 금빛노을에 배들 맡겨 봅니다

이호우의 길밤 길꽃 천숙희

내가 임 기슭을 미끄러우리 창을 긁어따며 새

한 마리 날아가며 하늘빛을 긁어따며 한따

일은 축련 꽃 찾아와 구름빛도 긁어일

정완영의 초봄 갈꽃 권숙희

5

내 벗이 몇이나 하니 수석과 송죽이라

동산에 달 오르니 긔 더욱 반갑고야

두어라 이 다섯밖에 또 더하여 무엇하리

윤선도의 오우가 갈꽃 천숙희

6

남향 따스한 뜰에 꽃이랑 과일 심어두

고 강실 틀밭에 오리도 기르면서

지너롤만 한 폭 그림 같이 살자오

이호으의 잎이여나와 가자오   갈꽃

눈서린 한밤중은 실록차를 마실시간

옥잔에 흘러드는 새닢푸른 숨결 고독

도 그얼마나 호강스런 향기인가

우안진의 실록차 갈꽃 전숙희

갈풍실 더진새로 느외넘는 어여쁠을

처절로 어림국의 겹친사와 어떠하니

고요한 이상골 속이어 길은듯하여라

정인보의 옥루동 갈꽃 전숙희

과실로 비단 짜고 술을 일으로 바늘 삼아만

고 청청 스를 놓아 옷을 지어 두었다가

저 머 해가 차거든 우리님께 드리리라

한용운의 우리님 갈꽃 전수희

두룩산 앙간 수를에 들고 이제 보니도

화 뜬 맑은 율에 신영조차 잠겼어화야

희야 으릉이어 니오 나늘 옌가 하노라

조식의 시조 갈꽃 전숙희

11

두멧골한나절은산새도잠들었나

들일도실바람도안기어잠이들고

머리있고없는듯흰구름이조은가

어정뱅의시조 갈꽃 전숙희

12

들국화 피인 곳에 시내 울어 예 노래라

허리 굽으려 마시오려 하울 적에 울가

두 갈빛 넘치오니 중축 월인가 하노라

이광수의 시조 갈꽃 청숙희

맑고도 넓은 개울 몇 폭포를 얼러 온고

들어선 아람들이 기우 신앙 어베둡다

골바람 지났건만 물은 아죽 으렁려라

정인보의 만폭동 갈꽃 천숙희

14

머언 산 청운사 낡은 기와집 산은 자하산

봄눈 녹으면 느릅나무 속잎 피어나는 열

두 구비를 청노루 맑은 눈에 도는 구름

박목월의 청노루 갈꽃 천숙희

먼고 먼 서법의 길 가도 가도 끝없어라

지룩길 따로없어 한 굽로만 오는 채찍

외로운 발자국마다 내 오늘이 찍힌다

꽃뜰 이미경님의 서법의 길 갈꽃

16

고향이 떠나면 동로에는 차가 끓고남

일이 흔들리면 남루 시들벗어지고 마음

도 조출히 비우면 청산나는 학이다

어며실에서 갈꽃 정숙희

17

금창호 고은 살결 햇살마저 눈부신 밤

색형걸 한잎 두잎 꽃잎인양 너무곱라

가을별 나들이인가 방안가득들려

꽃들 이미경님의 조각보 길꽃

바람이 서늘도 하여 뜰 앞에 나섰더니

산머리에 하늘은 구름을 벗어나고 산뜻

한 초사흘 달이 별과 함께 나오어라

이병기의 별 갈꽃 권숙희

19

떨나빈 알리없는 길은 산골을 가려안

으로 나스리는 청자빛 맑은 향기 중이

에잎이스미듯 미스길은 정이여

이호우의 낮 갈꽃 정숙희

봄을 보라 길이니라 가을산 보라 높으니
라 살 보라 빛나리라 들 보라 굳으리라 사
랑을 들이 있거든 이제로만 말하리라

한용운의 사랑 길 끝 천수희

21

꽃바람 흐르는 연둣빛 꽃잔치는 으르익

고을안 멋져 꽃향속에 엉클어가는 게 월

우리말 이끄는 매우새 우리글씨 궁취여

꽃잔치 글씨잔치 갈꽃 전숙희

22

분홍색 회장저고리 남끝동 자주고름

긴 치맛자락을 살며시 치켜들고

밑으로 하얀 외씨버선이 고와라

신석초의 고풍 갈꽃 전숙희

23

빗발도 스쳐가고 바람결도 잡이들고 또

녀끝 풍경소리도 멋들고 만 있습니다 오

늙은 우리집 감나무 속잎 피는 날입니다

정완영의 감나무 속잎 피는 날 같곳

24

빛나는 화린잎새 화린쩨 공하이 일꽃

꽃마가 동글동글 옥비녀 꽃아늘옷듯

이아니 아름다우랴 이름또한 옥잠화

이별기의 옥잠화 갈꽃 천숙희

사흘와 겨시다가 말없이 돌아가시는 아

버지오시드리막빛바랜 옷자락이 어웬

일로 께 가슴속에 눈길꽃만 스밉니다

정완영의 시조 갈꽃 천숙희

산국에 핀 도라지꽃 하늘빛이 올을들었구나

옥색치마 여민자락 기각름에 젖어있네

비취 이슬 눈썹미에 고운 햇살 입맞혀네

우경환의 도라지꽃 갈꽃 천숙회

산안개가 골골마다 젖어들어차

창에 기대 앉아도 따라 젖으라면이길

이만리면 좋겠네 휜녀이면 좋겠네

정완영의 초현 가는 길 갈꽃

산은 산대로 있고 들은 들대로 흘러라 창

만 가신 먼 하늘에 구름마저 나부끼면 고

향은 걷들 매속에 자리 자리 들들겠다

정완영의 청추에 갈꽃 천숙희

살구꽃 핀 마을은 어디나 고향 같아만

나는 사람마다 등이라도 치고 지고 뉘

집을 들어서면은 반겨 아니 맞으리

이호우의 살구꽃 핀 마을　길꽃

풀바람 일어서다 같게 바람이 부는

들녘비 외우고 긴 강을은 흘려두고 가을

밤길 밟으면 하늘에 기러기 떼 보내다

정완영의 겨울산조 갈 꽃 전숙희

강아지 울고오며 바라보던 진달래도

저녁노을처럼 산을둘러 터질것을어

마씨 그리운 숨씨에 향그러운 꽃지심

김상욱의 사향 갈꽃 천복희

십년을 경영하여 초려삼간 지여내니

한간 달 한간에 청풍한간 맡겨두고 강산

은들일데없으니 둘러두고 보리라

강산의 시조 갈꽃 정숙희

33

어버이 살아신졔 섬길일란 다하여라

지나간 후면 애닯다 엇지하리 평생에

고쳐 못할일이 이뿐인가 하노라

졍쳘의 훈민가 글끝 천숙희

엄마야 누나야 강변살자 뜰에는 반
짝이는 금모래빛 뒷문밖에는 갈잎
의노래 엄마야 누나야 강변살자

김소월의시 갈꽃 천숙희

우리아버지는우리집의산이시라뜰에

어면뜰이가득방에앉으면방이가득아

버지말러만박도늘고푸른산이시라

정완영의아버지 갈꽃 천숙희

장갈리 노란 꽃밭 벼리밭 라란이랑 직름

도 플어 놓으면 플어울 뜯는 양떼어라 회화

람 한번 만딜어도 찰찰 넘칠 뜸 바라여

정완영의 진도 갈꽃 천숙희

37

진정한 인생의 성공은 건전한 정신과 성실한 생활을 실천하려고 노력하는 사람만이 성취할 자격을 갖는다

김성기의 진정한 인생 길꽃

짚방석내지마라 낙엽엔들못앉으랴

솔불켜지마라 어제진달돌아온다 아

희야 박주산챌망졍없다말고 내어라

한석봉의 한정가 갈 끝 전숙희

차라리 찾지말고 그늘속에 어들걸한

사흘 뱁고오니 가슴이러 허전하나 끝이

랑끔으로 두어야 어둑할저 금강산

정완영의 금강산 녀와서 갈끝

천리 늘보라에 절개 외려 푸르르고

바람이 절로이는 그 나무 그늘을 가지

게 막막학한 쌍이 깃을 접는다

김상옥의 백자부 갈꽃 전숙희

청명한 햇살 속에 두 가슴 하나 되어영

윈히 마르지 않을 사랑의 샘솟아 오뢰 뒤

흠빛 사랑 그대로 행복하게 라올 라리

김상옥의 청옴빛 사랑 천옥희

청산은 어찌하여 만고에 프르며

유수는 어찌하여 주야에 긋지 아니고

우리도 그치지 마라 만고상청 하리라

이황 의시조 갈꽃 정숙희

청자빛 하늘열고 사르르 여민손 청실

바람 불어와도 저버릴 수 없는 결인데 그

눈빛 환한 오슴에 넘쳐오리 사랑은

이철수의 국련꽃 갈꽃 전숙희

태산이 높다 하되 하늘 아래의 뫼로라오

르고 또 오르면 못 오를 리 없건마는 사람

이 제 아니 오르고 뫼만 높다 하더라

양사언의 시조 갈꽃 정숙희

45

헐쳐든 믈갈폭에 떨쳐입은 힌구름에우

산가한 마강이 질펀하게 쏘아지거구쳔

에매 갈길믈질기 만이췬병흘흐든다

정완영의 구룡폭포에서 갈꽃

푸른 강물이 한결같이 흐르거챤

서리라 이기고 홀로 차리 굳게 서거가

숲엔 오락물 사랑밞은 누리 산가오

오등천의 들 국화 같 끝첫 천 국희

47

푸른 날 햇살 아래 계절 따라 꽃 피우며

알알이 맺힌 추억들 세월의 강 넘나들며

먼 하늘 울들 그을 빛 더욱 곱고 맑아라

갈꽃 시조 아름다운날 천숙희

푸른 하늘로 푸른 하늘로 항시 날아오르

는 노고지리 같이 맑고 아름다운 하늘을

받들어 그 속에 높은 넋을 살게 하자

조지훈의 마음의 태양 갈꽃

흰 구름 피어나는 골골이 잠겼는데 쪽
에 들든 갈풍 꽃도 곤더 좋아라 청공
이 나를 외하여 외빛을 꾸며 내도다

김천택의 시조 갈꽃 정수희

□ 흘림체 갈꽃시조

딜너리 자우럭이 국화 밭에 앉는 날은

잠자리 나래 깃에 양털 구름 실려 가고

머만치 비 온 뒷산 자락 울그리가 여윈다

길꽃 시조 가을을 씀 전숙희

헌등에 눌린 갈꽃 떨어져간 그 자리에

그을빛 젖어내려 물은 같이 익었고나

한 아름 눌퍼른 하늘 담어올려 늘았네

갈꽃 시조 강을 쓰다 권숙희

53

열어 놓은 하늘아래 강마을이 살고있네

새소리 글스리며 흘러내린 거짓초록

산빛도 끊을 끄는 가새로 드는 거 낮 낱

갈꽃시조 강촌에 와서 전숙희

지난밤 별자리가 내려앉아 꽃이 됐나

맨발로 밟아가면 흙내음도 슬어나고

붐쳐녀 설레는 마음 고개 드는 꽃과 치

갈꽃 시조 꽃가지를 씀 정숙희

55

연변라빛 향뿌리는 들 속화옹 남께며 혀바라

기 받쳐드는 흐른 하늘 한 주름 쓰치고 가는 그 나기도

쓰남해 범벅채 산옥장화 꽃등불 켜들었고 흐르는 더

불연지 한 입 가득 꽃라 쓰리헌 구름 흐른 하늘 불지고

넘는 나비여라

갈꽃의 꽃밭으로를 삶음 천숙희

흐코는 구곡폭포 울소리도 으늑하고

정봉산 특름 마로 한 획으로 드름 구름

므르펀 재갑도 할거가 산봉들이나 성라

갈꽃의 구곡폭포에서 정숙희

산마을고요함에바람결도부드럽고비쳐든햇살마

저잡힐듯이나사름가억새꽃하늘거림에따라나선

흰구름산구비돌쩍마다간풍속은거휘하고기려림

에지쳤는가허리굽은고국나무구름옇으러러불석

록하늘빛은거길어 구름옇을넘으며 갈곳

한 아금 가을 햇살 되워올린 꽃 한 송이

청옥빛 찻잔 속에 꽃 술을 머엇 남실때고

한 입술 기울인 향기 한 구름을 적신다

갈꽃 시조 국화차를쓸 정숙희

봄하늘 빈자리는 목련꽃이 멀고 피고

가을하늘 늘은자리은 행일에 일드느

내마음 그때 있음에 사게 칠이 거고 와

갈꽃의 그때 있음에 천숙희

60

가을엔 하늘빛 되어 은행잎 단풍잎이고 가을엔 여인의

들되어 들국화도 되었 놓고 가을엔 쓸쓸하늘 알안하

누구의 리가 가을엔 바람이 되어 고소소 꽃잎알고

가을엔 간방이 되어 맑은 낙엽 등에지고 내마음 슬어물

이되어 부른 하늘 국이리 내마음 같 꽃친 숙희

떠난 길 멎는 곳에 흰구름은 흘러가고 떠난 길 감는자리

꽃으로 피어 일어선 산봉운 꽃 흰구름 사이 강물되어

흐르게 강물을 살피면서 밝혀주는 촛불되어 마음속에

이는 결되 돌아와 꽃밭 되면 어들어 살아가는 길

사랑으로 맺으리 내 사랑은 갈 꽃 천석희 짓으쏘

웃음짓는 네그름 초승달로 여겼더니

어느새 아침햇살 청측하는 커뜰나우

꽃되고 열매맺거라 날로 풍성하거라

갈꽃시조 너의 미소들쓰 전숙희

함박으로 퍼붓듯이 쏟아지는 꽃송이

퍼주고도 그 자리에서 사라지는 꽃송이

세상일 한 품에 들어 서로 같 끝 끕니다

갈꽃시조 눈오는날 천숙희

봄빛도 첫상월엔 그리움에 녹아 들고

쪽으로 길인 열정 가지마다 망울쳐서

겹겹이 뜨거운 사랑을 꽃잎으로 감쌌다

길 꽃 시조 동백꽃 정수희

65

흐르는 강빛으로 겨울녘고요하실바림

도벌레울음에 잔향도 벼랏빛생각에실려하늘떠는

들국화 초록이 진다해도 간풍으로 화답하고 따린하

늘희구름엔 그리움도 실려오고 연보라 가녀린음매

적막속에 맴돌아

갈꽃 시조 들국화 권숙희

66

들국화 피인 곳에 고향생각 어려운가

볏빛 달빛 속에 포근한 정 어억길고

별빛도 그리움되어 내가슴에 내리네

갈꽃의 들길 따라서 천숙희

벼룻들에 라눈 속향 뱃글에 도눈 향기

곱은 정한 글기에 꺾어 넘기 난초 련가

벼마음 가락에 실리면 강물 취렁 흘러 러라

갈 꽃 시조 먹을 갈며 전숙희

밝은 빛 맑은 하늘 고여드는 그 서쉿

열어두세 월 거쪽 도로 자락흔들 열어

한 떨기 오란 이별어이 봉맹을 지한라

갈꽃의 오란 꽃 스서쉿 전숙희

69

우리얼 고즈넉이 들려오는 숨결 속에

피어든 송이마다 흰구름이 일어나고

뿌리로 성어낸 절개는 하늘 받쳐 서있다

갈꽃시조 무궁화 천숙희

봄바람 흐르는 연두빛 꽃잔치는 우리 익고 고운 민족

국향 속에 넣을어가는게 윌곤 정한 줄기 따라 회

울긴 꽃이여라며 라 꽃끝에 라는 국향 꽃끝에 도는 향기

우리 말 한글 써에 민족의 얼 담이고 내 마음 가락에

실려 면 강 물처럼 흘러라 국향에 실려 갈 꽃 짓고싶

둥근 해가 라오른다 하늘 활짝 열어두고

흰 구름 입에 물고 갈매기는 날아들고

수평선 열리는 곳에 내 마음도 열리네

갈꽃의 바닷가에서 전숙희

은하수 비스듬히 굽을 괴는 박꽃 마을

굽곡 길 휘어 돌며 밤은 짖아 들고

뜰벌레 일몸소리에 길모리가 등근

길곳의 박꽃 되는 밤

전숙희

73

한송이 맑은 슬결 밝은 그름 머금은 꽃

해 맑은 그 미소 가득 듬을 현 가

가는 욱 그리운 향기 하얀 꿈이 짐긴가

갈꽃 시조 백합을 쓰 전숙희

소양호 맑은 물이 하늘벗가 너넓은 날

강신의 얼글빛도 구름결에 얼비치고

꽃과 술로 숙상빛이 내가슴에 안기네

같꽃시조 벗꽃잔치 전숙희

어두운 밤하늘에 빗금치는 별똥별이

긴 꼬리 끌고 가 앉은 곳이 고향인가

이 밤도 산너머 마을은 하수가 흐른다

갈꽃의 별 하늘 바라보며 천숙희

진달래 망울 틔고 묵련 꽃은 봉을 냘고 연두빛하아

래 꽃샘바람 들랄라 발걸음 하루 오늘 길이

다 며려 햇살 아래 호숫가에 봄기운이 들러 있아 나을

래는 떠 골에 뜨끌을 실들이고 실은 속에 흘러드는

록빛붉하늘을 한들고 붉이오는 길목에서 갈꽃 짓그심

꽃구름 날아들듯 설레이던 날과 같이 하늘 노이햇살

안고 플내음에 젖노라면 오색빛 봄꽃 따락에 고향정회

일렁이네 진달래 망울 트고 목련 꽃은 당글고

연두빛 하늘아래 꽃샘바람 흔들리고 휘영청 보름달

처럼 거운 늘그 밝아라 봄동산에서 천숙희 짓고씀

고운빛 느이며져 잎새사이 숨었는가

두고온 고향산천 솔끝마다 글이들어

벗생각 아련한 꽃빛이 마음결에 흐르다

길꽃시조 봉선화 전숙희

글안개 자옥하게 피어오른 하늘아래 한폭의 수석화

로 떠오르는 커강나루 잔슬결밟고선 외가리 고향길

을비친나 행자나무 열나리에 걸려있던 그리운 햇살정

을수이는 향기산 그림자드리우고 그을빛막막한 하

늘에 고향길이 잠긴다 북한강을지나며 길꽃

찬거리 마음은 밭 한줌으로 밟고 서서 칠흑같은 밤에 당목하나 같았어

는가 폐상을 지고 일어선 새벽하늘 별빛으로 비끄러매 젖어 들듯 가슴으로

안기는 것이므로는 맑은 향기 방안 가득 풀린다 휘일 듯 곧은 줄기 맥놀이로

굽어고 아라 한 줄기 갈바람이 수묵으로 가끈 입새 긴 여름을 삼복더위 되어겨

베고 수물들었나 빈하늘 밝혀든 갈취랑 올라 앉았은 황극화여 가슴은 비면서

로 일은 어이 푸르러서 바람 잠든 그날에도 갯잎스리 수런 갰다 한 치 씩을

락 낫 갯마다 푸른 빛을 쥐었다   청수희 의시조 사군자를 삼는 갈꽃

어머님 크신 사랑 벗들 같오 오는 밤은

두고 온 고향마을 숙브으로 기어들고

그리운 강신오습이 길오리로 젖습니라

갈 꽃 시조 사오곡 정숙희

82

아침이슬 뜰밭에도 소망의씨 영그듯이

새날이 삼백예순갓새 등밝히는 기쁨으로

흐르는 따스한 햇살 꽃잎열고 나오거

갈꽃의 새해아침에 천숙희

햇살도 아롱아롱 기나긴에 타는 간장 고운님 외시려

나뭇잎들어 길밟힌나 낮같도 가나가 말고 들아 뜨는

하늘길 흐르는 거멧길에 구름길은 만리인에 열두룩

펼친병풍산은 첩첩 흐르구나 으앙강슬빛은 걸멀고

나울 거리빛나네 산빛에 슬빛실어 갈꽃 청소희

그림업에 열린하늘 걸고 썼던 그 림 꽃을

오늘 월 햇살이랑 씨방 가득 받아 오르고

하늘빛 바람사이로 별구슬을 달았네

갈꽃의 산수유에게 천숙희

흰구름 한자락이 실려가는 머

싱첩첩 가는 길에 또한세월 그려놓고

싱 굽이 멀었다 갈았다 벌 밝히는 구절초

갈꽃의 삼악산 가는 길 천숙희

한겨렁 넘는 볏빛 등해 바다 차오른가

우람한 울산바위 구름 위에 웃고 있고

하늘빛 쓸아진 글줄기 비선폭도 흘들려

설악산을 오르며 갈꽃 천숙희

받쳐든 푸른잎에 하얀 꽃이 올라앉아

맑은이슬 연못속에 하늘빛이 흔들리다

꽃과잎 바람과햇살 나울지어 되었네

수련이 있는 풍경 갈꽃 전숙희

아침이슬 풀밭에도 그 망의 씨 영그듯이 새날이 상쾌

베눈 갓새 한마음 한 뜻으로 날과 같 꽃을 피우며 별매

기억 풍성하리 프르던 햇살 아래 계절 따라 꽃 피우며

알알이 맺힌 저어들 세월의 강 넘나들며 먼 한늘 글들든

그윽빛 기억 곱고 맑아라 아름다운 날 같 꽃 짓으씀

구름결 내려앉아 산바람이 일어서고

산바람 일어서면 억새밭도 일어서고

한께절 드는인 하늘빛 빨려늘은 억새꽃

갈꽃의 억새를 축께

권숙희

글실김 연적인가 활히 열린 아침햇살

또 근하고 고운 정이 꽃잎처럼 안겨둘가

벼룩에 따르는 슬 스리온 솔음으로 나 펐어

갈꽃의 연적에슬 실으며 정수희

지난밤 언약인가 옥가락지 둥근 사랑

아련한 안개속에 별이 돋는 정이여라

벼룩갈 푸른갈 우리때른 가득 감기네

갈꽃시조 옥가락지 권숙희

얼마나 별에 그이면 흙이 와서 옹기 되나

햇살도 맛이 들어 장맛으로 익어가고

고향집 뜨락에 나앉은 들어머니 초상화

갈꽃의 옹기전에 와서 천숙희

구름은 하늘이 피워올린 한송이 장미라면 장미는 구름이
흘려놓은 입김이자 맑은 향기 강신은 하늘과 구름 나는
한송이 장미라 네품한 하늘빈자리는 묵견꽃이 열고 써고
가을하늘 높은 자리 은행잎에 들드는 니 내마음 그때
있음에 사계절이 어고와 장미와 구름 갈꽃짓으씀

한 모금 가을 햇살 띄워 올린 꽃 한 송이 청옥빛 찻잔 속에

꽃술 다섯 낱 실꾀고 한 입술 기울인 향기 흰 구름을

적신다 알뜨락에 강나루는 아직 붐이 강감한데 다관에

꽃눈 올오릭 두른 고운 정성으로 강신이 따르는 다향에

내가 젖어 내립니다

차한잔을 나누며 정숙희 짓고 씀

95

제몸을 살르면서 밟혀주는 흙불되어

마음속에 이는슬결 되돌아와 꽃밭되면

더불어 살아가는 길 사랑으로 맺으리

갈꽃 시조 참사랑 전숙희

두견새 울음으로 산가득히 내려앉아

쓸아진 꽃속지개 철쭉꽃을 되었고

오백산 꽃구름타고 산노을도 타올라

길꽃시조 철쭉제 천숙희

가을빛 물든 잎을들 찬 바람이 울아가고 마른 낙엽 깔린

자리등에 지고 누운 산들 고을빛 지나가 말고 도로 걸

핏물든가 뒤돌아오는 길엔 울스리도 나의 접고 먼 곳

속에 떠올은 감동고 인세월 어고와라 내 마음두고 고은 청

평사 오봉산도 물들어 청평사라 녀와서 갈꽃

그리운 남쪽바다 상상이는 그을빛을

비취빛 반지 속에 감아들고 오신 당신

내 마음 한금수평선 둥글게 화안긴다

갈꽃시조 초록반지 전숙희

99

하늘인지 들인지 하나가 된 호수 위로 산 첩첩 걸린 구름

구름빛 잔잔고 이는 에 들 속에 흘러든 산빛도 하늘빛을

흔드네 맑수러 샘들 속에 싸리꽃이 비쳐 든 가 나들

캐는 내 손끝에 들꽃향기 들이 아련한 고향 마을이

꿈속인양 멀어라 호수가 있는 풍경 천수희 짓으씀

여름은 기으는에 너만 혼자 라는거냐

푸른잎 너울너울 벌렁은 죽죽뽑아 을고

한오리 구름빨에 어깨너머 보양구

갈꽃시조 홍초를쓸 전숙희

▣ 진흙림체 갈꽃시조

고운빛 누이며녀 일써 써어 누었는가

두고온 고향산천 눈끝마다 슬이들어

옛생각 아련한 꽃빛이 마람결에 흐른다

갈꽃시조 봉선화 전숙희

고향 호밀은 들이 하늘또라 너 넓은 술

강신의 얼굴빛도 구름결에 얼비치고

꽃과 들푸른 산빛이 때 가슴에 안기네

글꽃시조 벚꽃잔치 천숙희

여명을 흔들어서 아침햇살 깨워놓은 안수러 새벽속
에싸리 꽃이 미쳐 듣고 빨강게 익은 산딸기 술어드는
늘앙엘 해맑은 아침 이슬방울 위에 올라앉은 길어가
눙산 그림자 훔써앉을 끌은 간다 오늘도 그대 있음에
어억 밟은 하루여라 그대 있음에 갈꽃 짓고싶

지난밤 풀벌레소리에 은하수가 기울어 오늘아침

이슬방울 풀끝에 와 맺히고 밤걸에 부서진 햇살진

주발이 구름과 가을빛 자우룩이 국화꽃에 없는 슬픈

잠자리 나래깃에 앙철구름 실려간 저만치 비웠든

산골엔 으슬으리가 여윈다

풀벌레우는아침 갈꽃짓고샀

초록빛 질으룩수록 징오리그 오르는 계곡 회감으되는

울 살강은 발욱 시려온가 삼복도 울보라 그 한나

걸어가젔네 제둘에 지졌는가 을가 멎은 쓰르라미

흐르는 울오리도 제욱청에 잡이들으 우리도 흐느끌

으거진 청산에 살어나 오봉산계곡에서 갈꽃짓고싶

하늘이 내려앉아 호수가 된 저의 앞호산 첩첩 걸린구

름숲빛 잔잔 잠이 들고 물속에 흘러드는 초록빛 하늘빛

물흔드네 반기는 잔물결에 떠오르는 벗죽 억들 강기

늘이 바람결에 풀꽃향기 날아들고 아련한 고향 마을이

꽃숲 인양 멀어라   호수가 있는 풍경 갈꽃 짓고쓴

한송이 맑은 서결 밝은 구름으며 웃는꽃

해맑은 그 미소가 뜨락가득 담을 간다

가는곳 그리운 향기 하얀꿈에 감긴다

글꽃시조 백합을쓸 전숙희

햇살도 아롱아롱 기다림에 타는 산마을이 오시려
나들이 들어 길밟힌 나숫길도 가까말은 돌아 보는
하늘길 흐르는 저뱃길에 구름길을 안 그리워 멀두룩
떨천 봉송 첩첩 프르구나 츠앙강 물빛은 더얼친
나울 저리빛나네 산빛에 글빛설어 갈꽃 짓고샇

흰구름 자락에 실려가는 능선너머 산첩첩가는
길에 또한 세월 그려놓은 산구비 열렸다 갈피져
올린구절초 푸르런 그 추억어릴게 울든 낙엽으로 올
굴안을 러버려 둥선록도 라오르네 삼악산 흔들라웃
해곡을 능는 거룩도 삼악산 가는길 갈꽃짓고쓰

111

갈꽃 권 숙 희

· 꽃뜰 이미경 님 사사
· 백수 정완영 님 사사
· 갈물한글서회 이사
· 갈꽃한글서예원 원장

작품소장
· 국립한글박물관
· 세종대왕박물관
· 백수문학관
· 한국시집박물관

갈꽃한글서예원

☎ (033)251-4524 / 010-8518-4524
24307. 강원도 춘천시 후만로 116번길 11-1

갈꽃 청숙희쓴
한글서예 흘림체 ②

2000년 2월 10일 초판발행
2005년 10월 18일 재판발행
2019년 10월 31일 3판발행

저 자 : 권 숙 희
발행처 : ㈜이화문화출판사
발행인 : 이 홍 연, 이 선 화

등록번호 : 제 300-2015-92

서울시 종로구 인사동길 12 (대일빌딩 3층 310호)
전화 (02) 732-7091~3
팩스 (02) 725-5153

정가 15,000원